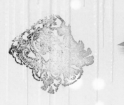

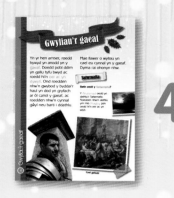

Gwyliau'r gaeaf

Cynnwys

12-13

14-15

Gwyliau'r gaeaf

Yn yr hen amser, roedd bywyd yn anodd yn y gaeaf. Doedd pobl ddim yn gallu tyfu bwyd ac roedd hi'n oer ac yn dywyll. Ond roedden nhw'n gwybod y byddai'r haul yn dod yn gryfach ar ôl canol y gaeaf, ac roedden nhw'n cynnal gŵyl neu barti i ddathlu.

Mae llawer o wyliau yn cael eu cynnal yn y gaeaf. Dyma rai ohonyn nhw.

Satwrnalia

Beth oedd y Satwrnalia?

Y Rhufeiniaid oedd yn dathlu'r Satwrnalia. Roedden nhw'n dathlu ym mis Rhagfyr, pan oedd hi'n oer ac yn wlyb.

Cael gwledd

'Io Satwrnalia!'

**Roedden nhw'n mwynhau'r ŵyl.
Beth oedden nhw'n ei wneud?**

- Diolch i'r duw Sadwrn am y cynhaeaf.

- Addurno'r tŷ â chelyn a dail gwyrdd. Roedden nhw'n cynnau canhwyllau hefyd, er mwyn gwneud y tŷ yn hardd.

- Cael gwledd.

- Dweud 'Io Satwrnalia!' wrth ei gilydd.

- Rhoi anrhegion bach. Roedden nhw'n rhoi melysion, cnau, pethau arian a modelau bach wedi eu gwneud o does neu glai.

- Dewis 'Brenin y Satwrnalia'. Roedd yn rhaid i bawb oedd yn y tŷ ufuddhau i'r brenin yn ystod y Satwrnalia.

- Roedd caethweision gan y Rhufeiniaid cyfoethog. Yn ystod y Satwrnalia, doedd dim rhaid i'r caethweision ufuddhau i'w meistri.

Sadwrn

Rhufain

Gwyliau'r gaeaf

Nadolig

Mae Gŵyl y Nadolig ar Ragfyr 25ain bob blwyddyn. Cristnogion sy'n dathlu'r Nadolig. Maen nhw'n dathlu bod Iesu Grist wedi cael ei eni.

Sut mae pobl yn dathlu'r Nadolig?

Mae plant yn actio'r hanes am eni Iesu Grist.

Canu carolau

Caneuon arbennig ar gyfer y Nadolig yw carolau. Maen nhw'n sôn am eni Iesu Grist. Mae pobl yn canu carolau mewn gwasanaeth neu mewn cyngerdd.

Gosod coeden Nadolig

Mae pobl yn gosod coeden Nadolig yn eu tŷ ac mewn adeiladau eraill. Mae addurniadau hardd a goleuadau lliwgar ar y goeden.

Gwyliau'r gaeaf

Anfon cardiau Nadolig a rhoi anrhegion

Mae pobl yn anfon cardiau Nadolig i'w gilydd. Mae'r cardiau'n dymuno 'Nadolig llawen'. Maen nhw'n rhoi anrhegion i'w gilydd hefyd.

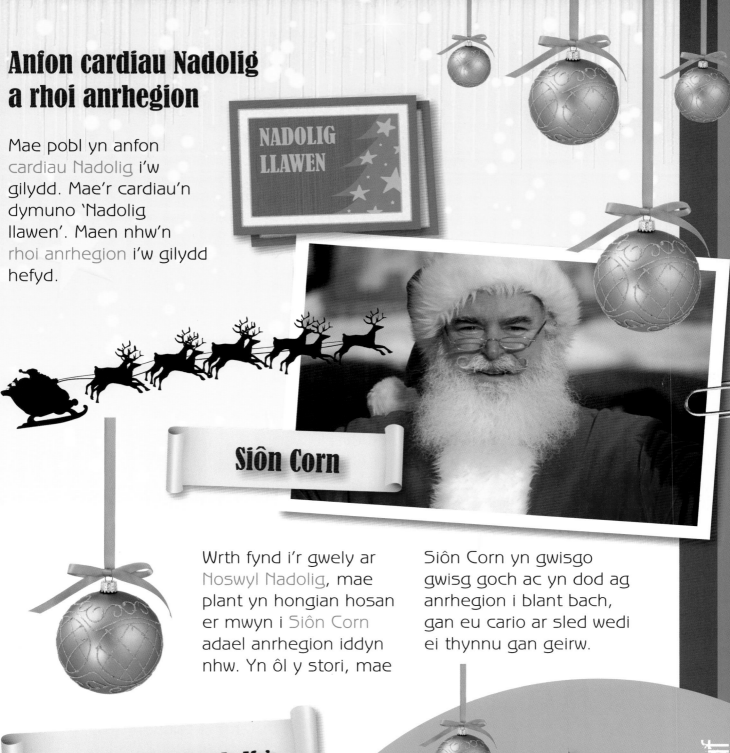

NADOLIG LLAWEN

Siôn Corn

Wrth fynd i'r gwely ar Noswyl Nadolig, mae plant yn hongian hosan er mwyn i Siôn Corn adael anrhegion iddyn nhw. Yn ôl y stori, mae Siôn Corn yn gwisgo gwisg goch ac yn dod ag anrhegion i blant bach, gan eu cario ar sled wedi ei thynnu gan geirw.

Bwyta cinio Nadolig

Ar ddydd Nadolig, mae cinio arbennig. Fel arfer twrci wedi ei rostio, stwffin a llysiau yw'r cinio.

Ar ôl y cinio, mae pwdin Nadolig, sy'n llawn cyrens a cheirios a chnau.

Hanukkah

חנוכה

Gŵyl y goleuadau yw Hanukkah. Mae Iddewon yn dathlu Hanukkah bob blwyddyn, ym mis Tachwedd neu fis Rhagfyr.

Dyma stori Hanukkah. Doedd dim llawer o olew ar ôl yn y deml, dim ond digon am un dydd. Ond llosgodd yr olew hwnnw am wyth dydd, felly mae Iddewon yn dathlu Hanukkah am wyth dydd.

Sut mae pobl yn dathlu gŵyl Hanukkah?

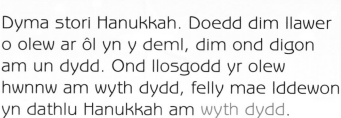

Rhaid cynnau cannwyll Hanukkah gyda'r nos. Rhaid cynnau un gannwyll ar y noson gyntaf, dwy ar yr ail noson, tair ar y drydedd noson. Ar y noson olaf, rhaid cynnau wyth cannwyll. Mae'r canhwyllau mewn menorah, canhwyllbren hardd. Mae cannwyll arall, y shamash, yn cael ei chynnau bob nos hefyd.

Ar ôl cynnau'r canhwyllau mae pobl yn gweddïo a chanu emynau a chaneuon Hanukkah.

Gwyliau'r gaeaf

Beth arall sy'n digwydd yng ngŵyl Hanukkah?

Mae plant yn chwarae gêm â dreidel, chwyrligwgan bach sydd â phedair ochr iddo. Maen nhw'n cael anrhegion o arian hefyd, gelt Hanukkah.

Beth yw bwyd arbennig gŵyl Hanukkah?

Mae pobl yn bwyta bwyd sydd wedi ei ffrio mewn olew. Maen nhw'n mwynhau:

Latkes

Crempog tatws yw latkes, wedi eu gwneud o datws, wyau, nionod a blawd a'u ffrio mewn olew.

Sufganiyot

Toesenni yw sufganiyot. Maen nhw wedi eu llenwi â jeli a'u ffrio mewn olew.

Gwyliau'r gaeaf

9

Mae Blwyddyn Newydd China yn cychwyn ym mis Ionawr neu fis Chwefror. Mae'r ŵyl yn para am 15 diwrnod.

Sut mae pobl yn dathlu Blwyddyn Newydd China?

Cyn yr ŵyl rhaid i bawb lanhau'r tŷ. Yna maen nhw'n rhoi addurniadau coch ar y wal oherwydd mae coch yn lliw lwcus. Mae rhai'n paratoi platiau o ffrwythau sych ac orennau bach ac yn gosod blodau yn y tŷ. Mae blodau'n arwydd o fywyd newydd.

Mae enw anifail ar bob blwyddyn. Dyma'r anifeiliaid: llygoden fawr, buwch, teigr, cwningen, draig, neidr, ceffyl, dafad, mwnci, ceiliog, ci, mochyn.

Tân gwyllt

Beth arall sydd i'w weld yn ystod yr ŵyl?

Dawns y ddraig

Mae dawnswyr yn cario model o ddraig ar bolion hir ar hyd y stryd. Mae'r ddraig yn lliwgar ac wedi ei gwneud o sidan, papur a bambŵ. Mae ganddi ben mawr.

Lampau papur

Coch yw lliw llawer o'r lampau ac mae lluniau o anifeiliaid a blodau arnyn nhw weithiau. Mae'r lampau'n hongian mewn tai a siopau ac allan ar y strydoedd.

Mae pobl yn hoffi dathlu'r flwyddyn newydd gyda'r teulu ac yn paratoi cinio arbennig. Maen nhw'n bwyta cyw iâr, pysgod, dwmplins a nwdls. Mae plant yn cael anrheg o arian mewn amlen goch ac mae pawb yn dweud 'Kung Hei Fat Choi' – Blwyddyn newydd dda!

Diwali

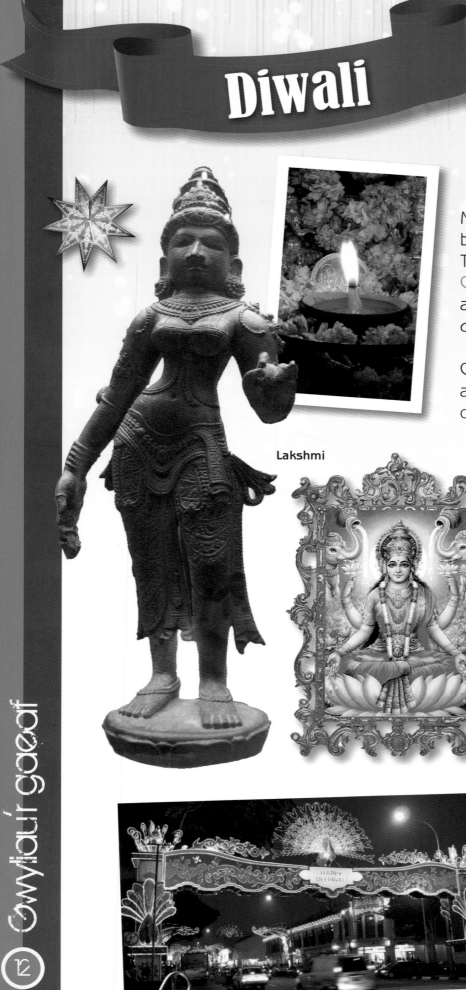

Lakshmi

Mae Gŵyl Diwali'n digwydd bob blwyddyn ym mis Hydref neu fis Tachwedd, am bum diwrnod. Gŵyl blwyddyn newydd yw Diwali ac mae Hindwiaid a Siciaid yn dathlu.

Gŵyl y goleuadau yw hi. Enw arall arni yw Deepavali, sef rhes o oleuadau.

Beth sy'n digwydd yn ystod Gŵyl Diwali?

Cyn yr ŵyl, mae pawb yn glanhau'r tŷ. Yna maen nhw'n addurno'r tŷ â goleuadau.

Mae goleuadau mewn tai ac mewn siopau a'r tu allan. Weithiau lampau olew o'r enw diyas ydyn nhw; weithiau goleuadau trydan ydyn nhw, neu ganhwyllau hardd.

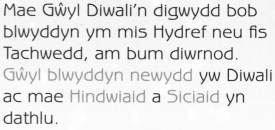

Pam mae pobl yn gosod goleuadau?

Maen nhw'n dathlu bod y golau yn gryfach na'r tywyllwch, a'r da yn gryfach na'r drwg.

Mae Hindwiaid yn cofio am Rama, y tywysog da. Maen nhw hefyd yn cofio am rai o'r duwiau. Un ohonyn nhw yw'r dduwies Lakshmi. Duwies arian a chyfoeth yw Lakshmi. Mae drysau a ffenestri'n cael eu gadael ar agor, ac mae goleuadau'n cael eu rhoi ynddyn nhw, er mwyn croesawu Lakshmi i mewn i'r tŷ.

rangoli

Mae pobl hefyd yn peintio patrymau hardd (rangoli) ar y llawr i groesawu Lakshmi.

Beth arall sy'n digwydd yn ystod gŵyl Diwali?

- Seremonïau a gweddïau arbennig
- Tân gwyllt.
- Rhoi anrhegion o felysion neu ffrwythau sych.
- Gwisgo dillad newydd.

Eid ul-Adha

Mae Mwslemiaid yn dathlu sawl gŵyl yn ystod y flwyddyn. Dwy ŵyl bwysig yw Eid ul-Fitr ac Eid ul-Adha.

Makka

Beth yw dyddiad Eid ul-Adha?

Dydy Eid ul-Adha ddim ar yr un dyddiad bob blwyddyn. Mae'r dyddiad yn symud yn gynharach bob blwyddyn. Ar hyn o bryd mae Eid ul-Adha ym mis Rhagfyr neu fis Tachwedd.

Mae Eid ul-Adha yn digwydd ar ddiwedd yr Hajj. Taith arbennig i Makka yw'r Hajj. Mae'n daith sanctaidd ac mae Mwslemiaid i gyd yn ceisio cymryd rhan yn yr Hajj.

Mae Eid ul-Adha'n cael ei dathlu am dri diwrnod. Yn ystod yr ŵyl mae Mwslemiaid yn cofio am Ibrahim, dyn duwiol iawn. Roedd Ibrahim yn barod i ladd ei fab i Allah, ond dywedodd Allah wrtho am ladd oen.

Sut mae Mwslemiaid yn dathlu Eid ul-Adha?

- Maen nhw'n mynd i weddïo yn y mosg.

- Mae pawb yn gwisgo'u dillad gorau ac yn rhoi anrhegion a chardiau i'w gilydd.

- Maen nhw'n dweud 'Eid Mubarak' wrth ei gilydd.

Koran – llyfr sanctaidd y Mwslemiaid

- Maen nhw'n mynd i weld eu teulu a'u ffrindiau.

- Er mwyn cofio am Ibrahim, maen nhw'n lladd buwch neu ddafad. Maen nhw'n rhoi traean o'r cig i bobl dlawd a thraean arall i deulu a ffrindiau, fel bod pawb yn cael cinio da. Maen nhw'n cadw'r traean arall o'r cig a'i fwyta mewn cinio arbennig.

Mynegai

Gwyliau'r gaeaf

Y noson honno, roedd gwledd arbennig. Eisteddai Gaiws wrth y bwrdd yn ymyl Pwbliws Maximws a'i wraig. Marcws ac Elena oedd yn gweini.

Meddai Marcws, "O! Dw i wedi blino! Diolch am helpu, Gaiws." Roedd e'n siarad yn gyfeillgar. Roedd Gaiws yn gobeithio y byddai'n fwy caredig o hyn ymlaen.

Meddai Elena, "Ga i rannu anrhegion y Satwrnalia nawr, Gaiws?"

"O'r gorau," meddai Gaiws yn swil.

Rhoddodd Elena anrheg i bawb. Rhoddodd becyn bach i Gaiws. Beth oedd ynddo? Roedd Elena wedi prynu'r dolffin glas oedd ar y stondin iddo!

Roedd Gaiws wrth ei fodd! Dyma'r Satwrnalia gorau erioed! Io Satwrnalia! Io'r Brenin Gaiws!

Aeth pethau o ddrwg i waeth. Roedd llawr y neuadd yn fwdlyd.

"Marcws! Ble rwyt ti?" galwodd ei dad.

Roedd angen mynd i brynu pysgod a ffrwythau ar gyfer y wledd.

"Brysia, Marcws!" meddai ei fam.

"Mae gen i ormod o waith! Does gen i ddim amser!" llefodd Marcws.

Gwelodd Gaiws beth oedd yn digwydd. Bachgen caredig oedd e, ac meddai wrth Marcws, "Beth am i fi rannu'r gwaith gyda ti?"

"Na, Gaiws," meddai Elena. "Rwyt ti ar dy wyliau! Ti yw Brenin y Satwrnalia!"

Cochodd Gaiws, ac atebodd, "Fi yw Brenin y Satwrnalia, a dw i'n gorchymyn i bawb yn y tŷ helpu ei gilydd!"

Drannoeth, aeth Elena, Pawla a Marcws i'r gegin yn gynnar
i weithio. Roedd Elena'n helpu paratoi cinio ac roedd Galia'n
cael gwyliau.

Beth am Marcws? Roedd e'n gwneud gwaith Gaiws. Roedd yn
rhaid iddo ofalu am y tân yn y gegin, brwsio'r neuadd a mynd
ar neges.

Roedd e'n anobeithiol. Diffoddodd y tân ac nid oedd ei fam nac
Elena yn gallu coginio bwyd arno.

"Marcws! Brysia i gynnau'r tân!" meddai ei fam.

Roedd yn rhaid iddo nôl dysgl o ffa o'r stordy. Syrthiodd y
ddysgl o'i ddwylo, a syrthiodd y ffa dros y llawr i gyd!

"Marcws! Cliria'r llawr 'na!" meddai ei fam.

Doedd Pwbliws Maximws ddim wedi gorffen siarad eto. Galwodd ar Galia i ddod o'r gegin.

"Yn ystod gŵyl y Satwrnalia," meddai, "mae caethweision yn cael gwyliau. Rhaid i bawb o'r teulu rannu'r gwaith."

"Wrth gwrs, Pwbliws," meddai ei wraig, Pawla. "Elena a Marcws, rydych chi'n ddigon hen i helpu. Elena, ti a fi fydd yn paratoi'r cinio fory. Marcws, rhaid i ti wneud gwaith Gaiws."

Roedd Marcws yn wyllt. "Ond nid caethwas ydw i," meddai.

"Marcws, dyna ddigon," meddai ei dad mewn llais cadarn.

Ddwedodd Marcws ddim byd.

Trodd Pwbliws at Gaiws. "Gaiws," meddai." Ti yw Brenin y Satwrnalia. Rydyn ni'n ufuddhau i ti. Io Satwrnalia!"

Yna, meddai Pwbliws Maximws, "Rhaid dewis Brenin y Satwrnalia heno."

Brenin y Satwrnalia? Cofiodd Gaiws. Roedd pob teulu'n dewis Brenin y Satwrnalia, ac roedd yn rhaid i bawb yn y tŷ ufuddhau i'r brenin trwy'r Satwrnalia.

"Beth amdana i?" gofynnodd Marcws ar unwaith.

"Na, ti oedd y brenin llynedd," atebodd ei dad. "Dim ond un o'r teulu sydd heb gael tro. Gaiws yw hwnnw. Gaiws fydd Brenin y Satwrnalia eleni."

"O, da iawn," meddai Elena ar unwaith. "Io Satwrnalia, Gaiws!"

Roedd Marcws yn edrych yn gas, ond roedd Gaiws yn sefyll yn stond a'i geg ar agor. Roedd e wedi ei synnu!

Erbyn y noson honno, roedd Gaiws wedi blino'n lân. Roedd yn rhaid paratoi cinio arbennig oherwydd y Satwrnalia. Roedd Galia'n brysur yn coginio swper yn y gegin ac roedd yn rhaid i Gaiws helpu.

Yna cariodd Gaiws y bwyd i'r stafell fwyta a helpu gweini ar Marcws, Elena a'u rhieni. Roedd y wledd yn flasus ofnadwy – wyau wedi eu piclo, wedyn cyw iâr mewn saws blasus, ac i orffen, ffigys a datys a chnau.

Yn ystod y wledd, roedd y teulu'n siarad am y Satwrnalia. Roedd Gaiws yn gwrando'n astud ar y sgwrs, ond doedd e ddim yn siarad. Dim ond caethwas oedd e.

Roedd Marcws ac Elena'n dadlau. Roedd Marcws wedi gweld cleddyf wedi ei wneud o arian.

"Dyma anrheg i fi," meddai.

"Ond fydd dim arian ar ôl i brynu anrhegion i bawb arall," meddai Elena. "Anrhegion i Mam a Dad a Gaiws a Galia."

"Gaiws a Galia? Caethweision ydyn nhw. Does dim angen anrhegion arnyn nhw," meddai Marcws yn sur.

Ond mynnodd Elena. Yn y diwedd, prynon nhw freichled i'w mam, cwpan i'w tad a model o Neifion i Elena. Prynodd Marcws fodel o filwr enwog iddo'i hun. Roedd cannwyll i Galia. Beth am Gaiws? Prynodd Elena anrheg iddo.

Bydd Gaiws wrth ei fodd â hwn, meddyliodd.

Tra oedd Marcws ac Elena'n dewis, edrychodd Gaiws o gwmpas. Roedd pob math o anrhegion yno, fel canhwyllau hardd, gemwaith a phethau arian. Ond yr anrhegion mwyaf lliwgar oedd y modelau bach. Edrychodd Gaiws arnyn nhw. Roedd y modelau wedi eu gwneud o bren neu o glai. Roedd rhai o dduwiau a milwyr a phobl enwog. Roedd rhai o anifeiliaid ac adar.

Yn sydyn, gwelodd Gaiws fodel bach o ddolffin glas fel yr un yn y llun ar wal y stafell fwyta. Edrychodd arno'n ofalus. O, mae hwn yn hardd, meddyliodd. Ond caethwas oedd Gaiws a doedd ganddo ddim arian.

O na! Beth am yr holl waith sy gen i i'w wneud yn y tŷ, meddyliodd Gaiws. Ond ddwedodd e ddim byd. Dim ond caethwas oedd e.

Aeth y plant allan unwaith eto. Roedden nhw'n mynd i ganol y dref.

Roedd y strydoedd yn ferw gwyllt ac roedd pobl yn hapus. Roedden nhw'n gwenu a chwerthin ac yn dweud "Io Satwrnalia!" wrth ei gilydd.

Cyrhaeddodd y plant y farchnad. Roedd llawer o stondinau yno ac roedd pob math o bethau ar werth. Roedd llawer o bobl yn prynu anrhegion. Aeth Marcws ac Elena ar unwaith at y stondinau oedd yn gwerthu anrhegion Satwrnalia.

Roedd breichiau Gaiws yn brifo ar ôl cario'r holl frigau ond wnaeth Marcws ddim cynnig helpu o gwbl.

Roedd Elena eisiau addurno'r fila'n hardd. Dwedodd wrth Gaiws am glymu dail eiddew o gwmpas y colofnau. Trefnodd Elena'r brigau mewn potiau. Yna, anfonodd Gaiws i nôl canhwyllau a gosododd nhw mewn dysglau. Ar ôl iddyn nhw orffen, roedd y fila'n edrych yn hyfryd.

Yna, rhuthrodd Marcws i mewn.

"Elena," meddai, "mae Dad wedi rhoi arian i ni. Gad i ni fynd i brynu anrhegion Satwrnalia."

Edrychodd Marcws ar Gaiws.

"Gwell i ti ddod gyda ni," meddai, "i gario'r anrhegion i gyd."

Roedd Gaiws yn hoffi Elena. Roedd hi'n garedig wrtho, er mai caethwas oedd e. Doedd Marcws, ei brawd, ddim mor garedig â hi.

Aeth y tri allan i gasglu dail a brigau gwyrdd. Roedd hi'n oer iawn. Roedd gan Marcws ac Elena glogyn i'w cadw'n gynnes, ond gwisg ysgafn oedd gan Gaiws.

Torrodd y plant lawer o ddail a brigau. Gaiws wnaeth y rhan fwyaf o'r gwaith. Cyn bo hir, roedd pentwr mawr i'w gario.

"All Gaiws ddim cario'r cwbl, Marcws," meddai Elena. "Rhaid i ni helpu."

"Na, gad iddo fe eu cario nhw. Dim ond caethwas yw e," atebodd Marcws.

Marcws ac Elena oedd plant Pwbliws Maximws. Efeilliaid oedden nhw ac roedden nhw'n ddeg oed, yr un oed â Gaiws. Roedd Gaiws wrthi'n brwsio llawr y stafell fwyta pan redodd Elena i mewn.

"Gaiws, rhaid i ni fynd i gasglu dail a brigau i addurno'r tŷ," meddai.

Aeth Elena draw i edrych ar y llun ar y wal. Roedd arlunydd wedi peintio llun newydd ar wal y stafell fwyta. Llun o Neifion oedd e. Neifion oedd duw'r môr ac roedd creaduriaid y môr yn y llun hefyd.

"Dw i wrth fy modd yn edrych ar y llun," meddai Elena.

"Mae'n hwnna'n hardd," atebodd Gaiws gan bwyntio at ddolffin glas.

Neidiodd Gaiws o'i wely. Roedd e'n cysgu ar fatras y tu allan i'r gegin.

Roedd Gaiws yn gwybod y byddai'n rhaid iddo weithio'n galed iawn heddiw o bob diwrnod. Roedd pawb yn paratoi am y Satwrnalia. Yn ystod y Satwrnalia roedd pobl yn addurno'u tai, yn paratoi gwleddoedd, yn prynu anrhegion i'w gilydd ac yn ymweld â ffrindiau a theulu.

Roedd Galia wrthi'n coginio, ac roedd hi eisiau i Gaiws ei helpu.

Roedd yn rhaid iddo helpu i lanhau'r tŷ hefyd.

Cafodd Gaiws ei frecwast – llond powlen o laeth poeth. Yfodd y llaeth wrth y tân yn y gegin. Brr! Roedd hi'n oer!

Deffrodd Gaiws. Roedd hi'n dywyll ac yn oer. Ych a fi! Mae'n gas gen i'r gaeaf, meddyliodd Gaiws.

Caethwas oedd Gaiws ac roedd e'n byw gyda Pwbliws Maximws a'i deulu mewn tref yn yr Eidal. Pwbliws Maximws oedd ei feistr ac roedd e wedi prynu Gaiws dair blynedd yn ôl pan oedd Gaiws yn saith oed. Roedd Pwbliws Maximws yn feistr caredig ond roedd Gaiws yn gorfod gweithio'n galed iawn.

"Gaiws!" galwodd Galia. "Brysia!"

Caethferch oedd Galia. Roedd hi wedi bod yn gweithio i Pwbliws Maximws ers amser hir.

"Mae llawer i'w wneud heddiw," meddai Galia. "Mae'r Satwrnalia fory!"

Heddiw oedd y diwrnod cyn y Satwrnalia! Roedd hwn yn ddiwrnod pwysig!